D1485736

¿Qué es la honestidad?

Las fábulas

Son relatos breves escritos en prosa o verso donde los personajes casi siempre son animales y adquieren características humanas para transmitir una enseñanza o moraleja.

La **honestidad** significa expresarnos y actuar siempre con la verdad, no decir mentiras ni hacer lo que sabemos que no está bien. Una persona honesta no oculta cosas a los demás ni se queda con objetos que no son suyos.

Cuando somos personas honestas en lugar de falsas o mentirosas, tenemos también el valor de la **integridad**.

Fábulas de
honestidad

El pastorcillo mentiroso

Un pastor se aburría de pastorear
y así, pensaba travesuras.
Gritó: —¡Ahí viene el lobo!
¡Auxilio! ¡Vengan todos!
Los campesinos acudieron con palos y escopetas
para evitar que el lobo atacara a las ovejas
y sólo se encontraron al pastor mentiroso
doblándose de risa, mientras les decía:
—Qué tontos labradores que se dejan engañar,
jaja, jaja, jaja.

Pensó el pastor travieso que sería divertido
hacerles la broma otra vez al día siguiente.
—La culpa es de ustedes, labradores aburridos,
por no tener sentido del humor.
Les repitió la broma de lunes a domingo
hasta que ya nadie le hizo caso.

El lobo, muy inteligente, había observado todo
y esa mañana, le dijo al pastorcillo:
—Con permiso, deséame buen provecho,
es hora de que yo desayune a tus ovejas.

ñom

ñoñ

ñom

El pastor se dio cuenta de que había sido muy tonto,
corrió a buscar ayuda con los labradores.
Les dijo: —Hoy no miento, de veras,
el lobo está en el cerro comiéndose a las ovejas.
Y por supuesto, nadie le creyó.

El lobo se comió cuarenta ovejas
o, ¿habrán sido cincuenta?
Y el pastorcillo tuvo que pagar
por cada una de ellas.

Moraleja:
Date cuenta, como el
pastorcito, que las mentiras
tienen consecuencias.

La araña y el chichicuilote

Una araña atrapó una rica mosca
y cuando la enrollaba entre sus hilos
llegó un chichicuilote y le gritó indignado:
—Qué araña tan cruel eres
que atacas a las moscas indefensas;
si te viera tu madre... Voy a acusarte
a la Sociedad Protectora de Animales,
indecente malhechora y mala araña.
Lo que el pájaro quería
era que la araña soltara la deliciosa mosca
para atraparla al vuelo con su pico tragón.

La araña era muy lista y le contestó:
—Yo te conozco bien chichicuilote.
Me acusas de atrapar una mosca hoy,
pero tú bien sabes que te tragas cien en una hora
y además comes mariposas, grillos, escarabajos,
abejas, catarinas, polillas y ciempiés,
así que mejor vuela a otra parte mentiroso,
deja de hacerte el bondadoso
pues el que no habla con la verdad
no puede criticar.

Moraleja:
No olvides que los engaños
son feos y siempre se descubren,
como le sucedió al chichicuilote.

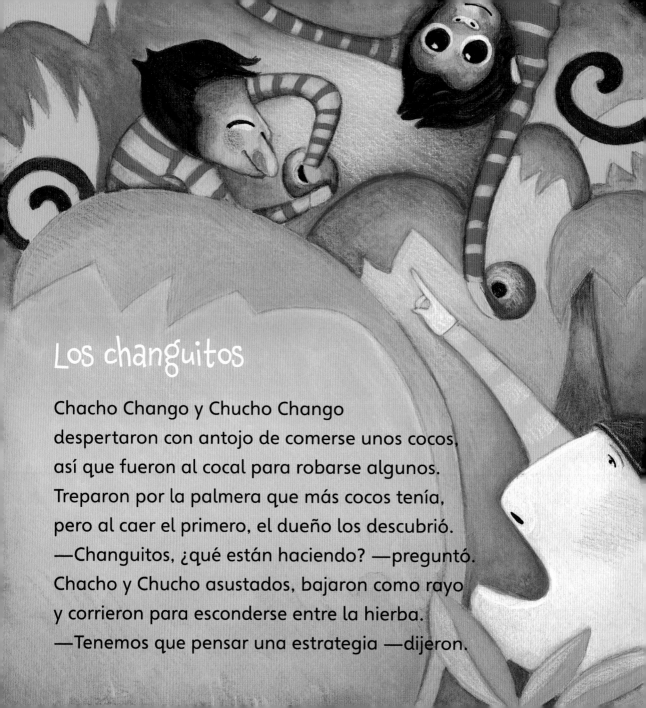

Los changuitos

Chacho Chango y Chucho Chango
despertaron con antojo de comerse unos cocos,
así que fueron al cocal para robarse algunos.
Treparon por la palmera que más cocos tenía,
pero al caer el primero, el dueño los descubrió.
—Changuitos, ¿qué están haciendo? —preguntó.
Chacho y Chucho asustados, bajaron como rayo
y corrieron para esconderse entre la hierba.
—Tenemos que pensar una estrategia —dijeron.

Chucho subió de nuevo a la palmera
y Chacho escaló una más lejana,
para distraer así al dueño,
pues mientras se acercaba a hablar con uno,
el otro aprovechaba para escapar con el botín.
Pero al ver el filo del machete en el cinto del señor,
salieron huyendo de terror.

Chacho volvió y se disculpó
con el buen hombre, en tanto Chucho
trepaba para bajar más cocos.
El hombre quiso hablar
pero los changos vieron la escopeta
colgada en la palapa
y escaparon otra vez, más rápido que nunca.
No probaron los deliciosos cocos
aquellos changuitos mentirosos
que sólo obtuvieron raspones.

El dueño del cocal pensó: "Qué lástima
que los changuitos no hayan dicho la verdad.
Después de todo, me hicieron un favor:
bajaron los cien cocos que necesitaba,
pero no me dieron tiempo para recompensarlos
e invitarlos a comer de mi cocal
cuantas veces quisieran, toda la temporada".

Moraleja:
No seas como Chucho
y Chacho, di la verdad
cuando quieras algo.

Los dos escarabajos

Había una isla donde vivía un toro
que mientras más comía,
más suciedad dejaba.
Junto con él estaba un par de escarabajos
que merendaban el excremento del pasto.

Eran dos escarabajos muy tragones,
pero cuando llegó el invierno,
no había tanto pasto que alimentara al toro.
Dijo un escarabajo: —Yo me voy de la isla,
que para eso tengo estas alas.
Allá en el continente de seguro hay comida.
De ser así, te prometo traer tanta
que será suficiente para comer un año.

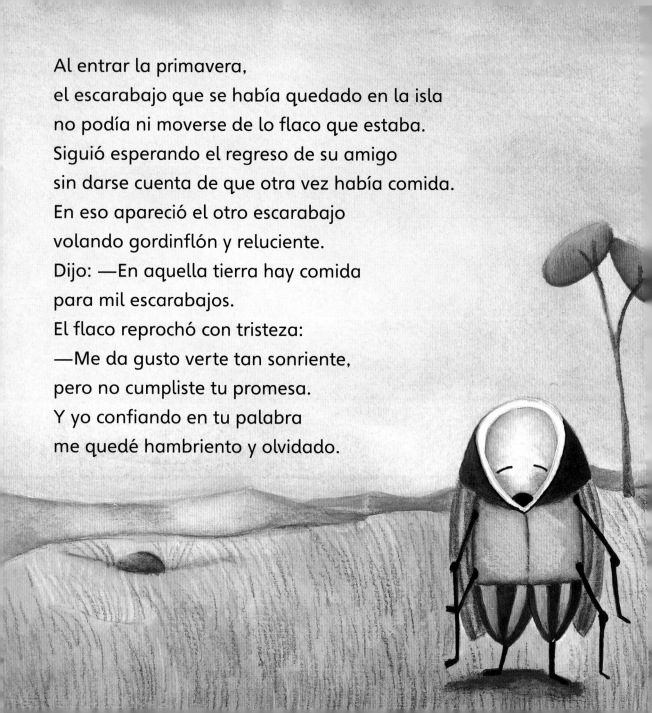

Al entrar la primavera,
el escarabajo que se había quedado en la isla
no podía ni moverse de lo flaco que estaba.
Siguió esperando el regreso de su amigo
sin darse cuenta de que otra vez había comida.
En eso apareció el otro escarabajo
volando gordinflón y reluciente.
Dijo: —En aquella tierra hay comida
para mil escarabajos.
El flaco reprochó con tristeza:
—Me da gusto verte tan sonriente,
pero no cumpliste tu promesa.
Y yo confiando en tu palabra
me quedé hambriento y olvidado.

Moraleja:
Sé un amigo honesto, no
como el escarabajo que
no cumplió lo prometido.

La zorra y el mono

Iban en el camino un mono y una zorra.
El mono alardeaba de su sangre azul,
decía que provenía de caballeros, duques y monarcas.
Al pasar frente a un elegante cementerio,
vio la oportunidad de presumir con un engaño
y haciendo reverencias dijo así:
—Aquella gran tumba es de mi tío Alberto
y esa otra, toda de oro, de mi tatarabuelo.

La zorra comprendió que el mono mentía,
así que cansada de oír tantos cuentos
continuó por otro camino,
mientras el pobre mono
hablaba y hablaba diciendo sus mentiras
sin darse cuenta de que ya nadie lo seguía.

Moraleja:

*No te quedes sin amigos como
el mono, mejor habla siempre
con la verdad.*

El coyote y su hijo

Un coyote educaba a su hijo
mientras miraban un nido de colibrí.
—Un coyotito bueno no roba huevos de los nidos;
imagina al colibrí cuando regrese
y vea que sus hijos ya no están
porque te los comiste.
No hay que alimentarse de aves que tengan dueño
como las deliciosas gallinas de corral,
o esas palomas gordas que hay en el palomar,
o esos pavos sabrosos que tienen los granjeros.
¿Entendiste hijo?
—Sí, papá.
—Ahora, vete a jugar.

El coyotito era muy listo
y fue a investigar lo que esa noche hacía papá:
lo vio comer las ricas gallinas de corral
y las palomas gordas y los sabrosos pavos,
aunque le había dicho que eso estaba mal.

Cuando el coyote padre quedó satisfecho,
se fue y llegó su hijo a comerse los pollitos.
Al día siguiente, el papá se enteró de lo que
el coyotito había hecho,
y le dijo muy enojado:
—Te dije que no atacaras a los pollitos,
¿por qué lo hiciste?
—Papá: te vi tragar a todas las gallinas,
pavos y palomas,
y pensé que no sería tan grave
comerme a los pollitos.

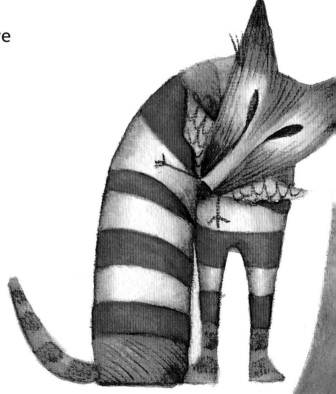

El coyote nada pudo decir, se quedó apenado
y comprendió la lección que su hijo le había dado.

Moraleja:
Aprende como el coyote
a ser sincero en tus
palabras y en tus actos:
haz lo que dices.

Fábulas de
honestidad

ISBN: 978-607-709-087-8
1ª edición, junio 2012
Colección Fábulas con Valores
ISBN: 978-607-709-086-1 (colección).

D.R. © Editorial Dante S.A. de C.V.
Calle 17 No. 138-B, esq. Prol. Paseo de Montejo
Col. Itzimná, C.P. 97100, Mérida, Yucatán, México.
editorial@editorialdante.com

Dirección editorial: Adolfo Fernández Gárate
Dirección de arte: Cecilia Gorostieta Monjaraz
Diseño gráfico: Suelen Y. Torres Mota
Ilustraciones: Viviana Hinojosa
Edición de imagen: Emmanuel Campos Canché
Selección de textos: Patricia Garfias Cáceres
Adaptación de texto: Fernando de la Cruz
Edición de contenido: María Emilia Arenas Palau
Corrección de estilo: Leticia García Rello
Revisión técnica: Laura Morales Encalada

Encuentra
otros libros
de la colección
en:

www.editorialdante.com

Glosario

Pastorear
Llevar a las ovejas u otro ganado al campo y cuidar mucho de ellos.

Botín
Conjunto de objetos robados.

Alardeaba
Presumía, se vanagloriaba.

Bondadoso
Persona que es buena.

Malhechora
Persona que realiza una mala acción.

Cocal
Lugar donde hay muchas palmeras con cocos.

Reverencia
Es una inclinación del cuerpo hacia adelante, en señal de respeto.

Reluciente
Es lo mismo que brillante.

Palomar
Es el lugar donde se crían palomas.

Indefensas
Que no se pueden defender.

Machete
Cuchillo que se usa en el campo, es grande y largo, aunque no tanto como la espada.